il était une fois...
...peux-tu me dire?

Une histoire d'oiseaux

Texte
Toufik Ehm

Illustrations
Zoran Vanjaka

Conseillers à la publication
Roger Aubin
Gilles Bertrand
Joseph R. DeVarennes
Jean-Pierre Durocher

Grolier Limitée
MONTRÉAL

© 1989 Québec Agenda Inc.

Dépôt légal : 3e trimestre 1989
Bibliothèque nationale du Québec
Bibliothèque nationale du Canada

ISBN 2-89294-178-4

Imprimé au Canada

Une histoire d'oiseaux

Il était une fois, dans un pays dont on a oublié le nom, un très vieux seigneur qui aimait à vivre entouré d'oiseaux. Dans toutes les pièces de sa maison, il avait fait installer des perchoirs de formes diverses. Il y en avait des bleus suspendus aux plafonds, des rouges posés sur les tables et des roses accrochés aux chambranles des portes. Si bien que, les perchoirs prenant toute la place, le vieux seigneur avait dû se débarrasser de tous ses meubles! Enfin, de la plupart de ses meubles car il s'était résigné à garder un lit pour lui-même et une toute petite chaise pour le cas où un ami viendrait lui rendre visite.

Dès le lever du soleil, le vieux seigneur s'empressait de faire sa toilette et de s'habiller. Puis, il s'en allait au pas de course ramasser les plus beaux grains de céréales pour en nourrir les oiseaux. Tous les matins, sans exception, les villageois le voyaient descendre la colline avec un sac de toile vide, jeté sur son épaule. Il remontait invariablement une heure plus tard, avec le sac bien rempli de gros grains mûris au soleil. Il arrivait parfois qu'un nouvel habitant du village glisse une ou deux paroles comiques à son sujet. Mais au fond, les villageois lui étaient reconnaissants de si bien s'occuper des oiseaux.

Le forgeron, par exemple, aimait bien battre le fer en cadence, accompagné par le « poc-poc » entraînant du pic-bois. Le lavandier, quant à lui, aimait bien piquer un brin de jasette avec un jaseur des cèdres qui avait pris l'habitude de se baigner dans l'étang. Toute la journée, les oiseaux accompagnaient les villageois dans leurs occupations et ceux-ci passaient aussi bien du bonheur à la peine, tant il y avait d'espoir dans leurs cœurs. Chacun portait en lui un refrain d'oiseau. Jusqu'au jour où, par un matin où le soleil était voilé de brume, on ne vit pas le vieux seigneur descendre la colline, comme à l'accoutumée.

Les villageois mirent bien deux heures à s'en apercevoir. Tout à coup, quelqu'un s'aperçut que le forgeron ne battait plus le fer en cadence et que le lavandier s'était mis à parler tout seul.

— Mais que se passe-t-il ? se dit-il en surveillant le ciel.

Il avait beau tendre le cou et l'oreille, plus un seul oiseau ne venait troubler l'air fragile du matin...

... peux-tu me dire ?

Pourquoi le vieux seigneur a-t-il dû se débarrasser de tous ses meubles ? Avec quoi nourrit-il tous ses oiseaux ? Pourquoi les villageois sont-ils reconnaissants au vieux seigneur de s'occuper des oiseaux ?

Dans un pays lointain, dont on a oublié le nom, vivait un vieux seigneur qui s'occupait à loger et à nourrir les oiseaux. Il avait placé des perchoirs partout dans sa maison et on le voyait chaque jour, descendre la colline pour cueillir des grains de céréales. Les villageois avaient pris l'habitude de se laisser fleurir le cœur par le chant des oiseaux qui les accompagnaient dans leurs occupations.

Mais vint un matin où l'on ne vit pas le vieux seigneur sortir de sa maison. Et l'on ne vit pas d'oiseaux non plus. Inquiets, les villageois surveillaient le ciel, à l'affût du moindre bruissement d'aile. Tout ce qu'ils voyaient, c'était des petits carreaux de papier qui tombaient des arbres, de temps en temps.

— Peut-être le vieux est-il malade, dit le forgeron.

— Peut-être a-t-il oublié d'ouvrir ses fenêtres, dit le lavandier.

— Allons voir, suggéra un ami du vieux seigneur. Et il
entreprit de gravir la colline. Venez ! dit-il au forgeron.

Celui-ci hésita un moment ; c'est qu'il avait du travail
à finir avant l'heure du dîner. Mais, pensant qu'il travaille-
rait mieux en compagnie du pic-bois, il se décida enfin à
suivre son ami sur la colline. La maison du vieil homme se
découpait sur le ciel brumeux. Des milliers de petits
carreaux de papier en sortaient par les fenêtres ouvertes,
puis suivaient le vent jusqu'au-dessus de la forêt. Le
forgeron et son ami frappèrent au chambranle de la
porte d'entrée.

— Entrez ! dit le vieux seigneur, d'une toute petite
voix. Entrez ! Je vous attendais.

Ils entrèrent et trouvèrent le vieil homme couché
dans son lit, tout pâle sous les couvertures.

— Asseyez-vous, dit-il au forgeron en lui montrant la petite chaise. Quant à vous, mon ami, venez vous asseoir au pied du lit, tout près de moi.

L'homme alla s'asseoir sur le lit, tandis que le forgeron s'assit délicatement sur la petite chaise. Des carreaux de papier voltigeaient autour des trois hommes. Le vieillard essayait d'en attraper quelques-uns au vol mais à chaque tentative, un courant d'air les faisait voltiger jusqu'au dehors. Si bien, qu'à chaque fois, la main du vieux seigneur retombait vide, sur le lit.

— Voilà tout ce qu'il reste des oiseaux, dit-il avec tristesse, des petits carreaux de papier.

— Comment cela est-il possible ? s'écria le forgeron, incrédule, les oiseaux ne se transforment pas en papier !

— Cela semble incroyable en effet, dit l'homme assis au pied du lit. Expliquez-nous comment cela aurait pu se produire. Et le vieux seigneur leur parla du monde étrange de la forêt Gatée.

 **... peux-tu me dire ?**

Les villageois sont-ils inquiets de ne plus voir d'oiseaux dans le ciel ?
Que sont devenus tous les oiseaux ?
Peux-tu dessiner des oiseaux qui **volent** sur cette page ?

Cela se passait dans un pays dont on a oublié le nom. Un vieux seigneur s'occupait à nourrir les oiseaux, et les villageois aimaient beaucoup leur compagnie. Mais voilà que, par un matin brumeux, l'on s'aperçut que les oiseaux avaient tous disparu. Le forgeron du village alla questionner le vieux seigneur. Il gravit la colline, accompagné d'un ami du vieil homme et ils trouvèrent celui-ci au lit, tout pâle sous les couvertures. Le vieux seigneur leur dit que tous les oiseaux s'étaient transformés en petits carreaux de papier.

— Comment ? Impossible ! s'écria le forgeron. Les oiseaux ne se transforment pas en papier !

— Non, répondit le vieil homme, en temps ordinaire, les oiseaux restent des oiseaux. Mais toute chose impossible devient chose courante lorsqu'il s'agit de l'étrange forêt Gatée !

Et le vieil homme leur raconta tout ce qu'il savait à propos de cette forêt bizarre :

— Oh !... commença-t-il, ce n'est pas la première fois qu'une telle chose arrive. Cela s'est déjà produit lorsque j'étais encore un tout petit garçon. J'aimais déjà beaucoup les oiseaux et, malgré mon jeune âge, j'étais assez habile pour leur fabriquer des perchoirs. Tout allait bien au village ; partout, les oiseaux chantaient du matin au soir et chacun faisait son travail avec un égal bonheur. Jusqu'au jour où, par un matin semblable à celui-ci, tous les oiseaux se sont transformés en petits carreaux de papier... Tous les oiseaux se sont transformés en confettis !

— En confettis ? s'écria le forgeron.

— Eh oui ! En confettis ! reprit le vieux seigneur.

Et tout cela à cause de cette étrange forêt Gatée.

— Mais pourquoi donc une forêt changerait-elle les oiseaux en confettis ? demanda l'ami qui était resté silencieux jusque-là.

— Pour fêter son anniversaire, évidemment ! lança le vieux seigneur, d'un air entendu. À tous les cent ans, la forêt Gatée fête son anniversaire.

— Alors ? demanda l'ami, que se passe-t-il lorsque le jour d'anniversaire est passé ?

— Habituellement, les confettis redeviennent des oiseaux sur le coup de midi.

À cet instant précis, l'horloge du village sonna les douze coups de midi.

Le vieux seigneur, le forgeron et l'ami comptèrent les douze coups avec l'horloge en espérant que tout allait rentrer dans l'ordre, comme par magie.

Mais rien ne se produisit, les confettis continuaient de voltiger jusqu'au dehors.

— Alors ? demandèrent en même temps le forgeron et l'ami.

— C'est bien ce que je craignais, répondit le vieux seigneur, la forêt Gatée a réglé la grande aiguille du temps de façon à ce que ce soit toujours son anniversaire.

— Qu'allons-nous faire pour retrouver nos oiseaux ? demanda le forgeron déjà tout triste à l'idée de ne plus revoir son pic-bois.

Un lourd silence répondit à sa question...

... peux-tu me dire ?

Pourquoi la forêt Gatée a-t-elle transformé tous les oiseaux en confettis ?
Quand les confettis doivent-ils redevenir des oiseaux ?
Et pourquoi ne s'est-il rien passé lorsque l'horloge du village a sonné les douze coups de midi ?

Le vieux seigneur a raconté au forgeron et à l'ami ce qu'il savait au sujet des oiseaux qui se changeaient en confettis. C'était la forêt Gatée qui les transformait pour avoir des confettis le jour de son anniversaire. Mais voilà : ce jour-là n'était pas encore le jour d'anniversaire ! La forêt Gatée avait réglé la grande aiguille du temps de façon à ce que ce soit son anniversaire tous les jours. Le forgeron et l'ami se demandent bien comment faire pour que les confettis redeviennent des oiseaux...

— Il n'y a qu'une façon de retrouver les oiseaux, dit le vieux seigneur, c'est de faire repartir le temps, comme avant.

— Mais oui ! s'écria le forgeron, c'est évidemment la solution ! Allons-y !

— Pas si vite ! dit le vieil homme, la grande aiguille du temps se trouve bien loin d'ici.

— Où ? demandèrent le forgeron et l'ami d'une même voix.

— Au cœur de la forêt Gatée, au bout du pont des Illusions, dit le vieil homme en se levant péniblement. Il ouvrit un petit coffre qui contenait une plume de perroquet et une petite bouteille de verre. Voilà, dit-il encore, j'ai là ce qu'il faut pour régler la situation !

Puis il regarda le forgeron et l'ami bien en face et dit, d'une voix autoritaire :

— Car vous irez tous les deux régler la grande aiguille du temps sur son cours normal.

Le forgeron se tortilla sur sa chaise, l'air mal à l'aise. L'ami, quant à lui, dit d'une voix claire :

— Dites-nous ce qu'il faut faire, nous partons sur l'heure !

Le forgeron toussota un peu et se mit à regarder ailleurs. C'est que cette expédition n'annonçait rien de bon pour lui.

— C'est que... commença-t-il d'une voix chevrotante.

— Vous irez... Vous irez... dit le vieux seigneur en le regardant droit dans les yeux.

Le forgeron hésita encore un moment et finit par donner son accord.

— Bon ! à la bonne heure ! dit le vieil homme. Que voici donc deux courageux gaillards ! Voilà ce que vous devez faire...

Pendant une heure, le vieux seigneur leur expliqua comment pénétrer dans la forêt Gatée, traverser le pont des Illusions et régler le cours du temps.

Puis, nos deux courageux amis partirent en direction de l'étrange forêt Gatée avec, pour tous bagages, une plume de perroquet et un petit flacon de verre...

... peux-tu me dire ?

Quelle est la seule façon de retrouver les oiseaux comme avant ?
Où se trouve la grande aiguille du temps ?
Avec quoi le forgeron et son ami sont-ils allés vers la forêt Gatée ?

La forêt Gatée avait changé tous les oiseaux en confettis pour le jour de son anniversaire. Habituellement, les confettis redevenaient des oiseaux aux douze coups de midi. Mais ce jour-là, à midi, rien ne se passa. On ne vit pas plus d'oiseaux que de zèbres volant dans le ciel du pays dont on a oublié le nom. Alors, le vieux seigneur qui avait l'habitude de s'occuper des oiseaux envoya le forgeron et l'ami dans la forêt Gatée. Ils devaient régler la grande aiguille du temps pour que tous les jours d'anniversaire de la forêt Gatée se transforment en un seul jour d'anniversaire à tous les cent ans.

Et ce fut équipés d'une plume de perroquet et d'un flacon de verre que nos deux amis partirent vers l'étrange forêt. Le forgeron ouvrait tranquillement la marche, tandis que l'ami le poussait à aller plus vite en lui donnant de petites tapes sur l'épaule.

Ils arrivèrent bien assez vite à l'entrée de la forêt. En jetant un coup d'œil entre les arbres, on pouvait tout de suite s'apercevoir qu'il ne s'agissait pas d'une forêt ordinaire. Les arbres étaient parés de rubans multicolores et certains d'entre eux ressemblaient à des clowns qu'on aurait sculptés à même les troncs.

Sans plus attendre, nos amis s'enfoncèrent dans la forêt en prenant soin de ne toucher ni aux arbres-clowns, ni aux rubans. Une volée de confettis s'élevait à chacun de leurs pas. Tout à coup, un ricanement se fit entendre et une voix dit en chialant :

— Allez-vous-en, allez-vous-en, vous gâchez mon anniversaire !

C'était une voix d'enfant, la voix d'un enfant qui s'exprime en se lamentant... C'était la voix de la forêt Gatée.

— Vous gâchez mon anniversaire, dit encore la forêt, puis elle se mit à rire et à pleurnicher tout à la fois.

Mais le forgeron et l'ami continuèrent d'avancer comme si de rien n'était. Le vieux seigneur leur avait dit de ne pas s'occuper de cette voix et ils faisaient exactement ce qu'il leur avait dit de faire.

Tout à coup, une racine d'arbre-clown s'éleva devant eux et se mit à fendre l'air en s'agitant comme un fouet.

— Tiens-toi tranquille, polissonne! dit l'ami d'une voix autoritaire, tu pourrais blesser quelqu'un!

Impressionnée, la racine cessa de s'agiter et les laissa passer sans plus bouger.

— Merci, dit le forgeron, tu es une gentille racine!

Et nos amis poursuivirent leur chemin sans encombre jusqu'au pont des Illusions.

... peux-tu me dire?

Qu'a dit la forêt Gâtée quand elle a vu le forgeron et son ami?
Le forgeron et son ami l'ont-ils écoutée? Pourquoi?
Aurais-tu eu peur si tu avais été dans la forêt Gâtée?

Le forgeron et l'ami ont pénétré dans la forêt Gatée. Ils avaient pour mission de régler la grande aiguille du temps sur son cours normal. C'était là l'unique façon de changer les confettis d'anniversaire en oiseaux et de redonner la sérénité aux villageois. Le forgeron et l'ami avaient parcouru une bonne distance, lorsque la voix de la forêt Gatée se fit entendre, pleurnicharde et ricanante tout à la fois. Nos amis continuèrent leur route sans s'occuper d'elle. Puis, ils arrivèrent au pont des Illusions.

Le vieux seigneur leur avait expliqué la seule façon de franchir le pont sans devenir prisonniers d'une illusion : ils devaient le traverser en marchant à reculons et en comptant treize pas à l'envers. L'ami s'y décida le premier et fit un premier pas en reculant :

— Treize, commença-t-il, douze, onze... Aussitôt, des centaines de bulles se mirent à sortir d'en dessous du pont. À l'intérieur de chacune d'elles, l'ami pouvait voir s'animer de petites images : des illusions de ses propres rêves.

— Dix... neuf... continua-t-il sans y prêter attention.

Dans l'une des bulles-illusion, l'ami se vit dans une très grande maison, entouré de tous les gens qu'il avait connus et aimés. Dans une autre, il vit le visage de sa mère qui souriait à un jeune garçon : c'était l'illusion de son enfance.

— Huit... sept... six... cinq... Invariablement, l'ami comptait ses pas.

— Quatre... trois... deux... un... Ça y est ! lança-t-il au forgeron, à votre tour maintenant !

Et le forgeron fit un premier pas sur le pont :

— Treize... douze... commença-t-il.

Et les images animées des bulles-illusion se mirent à danser autour de lui. Il se vit maître forgeron pour un grand seigneur, ferrant les chevaux avec des fers dorés.

— Onze... dix... neuf...

Il se vit marié et père d'un couple de jumeaux robustes et blonds comme des épis de blé mûris au soleil.

— Huit... le forgeron hésita. Il regardait une toute petite bulle qui voletait devant ses yeux avec insistance.

— Continuez ! lui ordonna l'ami en voyant le regard troublé de son compagnon.

— Sept... six...

Un moment, le forgeron fut tenté de saisir la petite bulle.

— Continuez !... lui cria l'ami. Et il se mit à compter avec lui.

— Cinq... quatre... trois... deux... un...

— Enfin ! s'écria l'ami avec soulagement. Mais qu'y avait-il dans cette petite bulle qui a tant attiré votre attention ? demanda-t-il au forgeron.

— Je m'y suis vu martelant le fer en cadence, accompagné du pic-bois. C'était là, je crois, mon plus cher désir.

L'ami accueillit sa réponse en silence. Il venait de comprendre l'attachement de l'homme envers les oiseaux. Au bout d'un long moment, il dit :

— Continuons notre route. Nous verrons les oiseaux revenir avant le coucher du soleil, je vous en donne ma parole !

Puis il sortit de sa poche la plume du perroquet et le petit flacon de verre.

... peux-tu me dire ?

Comment faut-il franchir le pont des Illusions sans devenir prisonnier d'une illusion ?

Qu'a vu l'ami dans les bulles-illusion ? Et qu'a vu le forgeron dans d'autres bulles-illusion ?

Le forgeron et l'ami ont franchi le pont des Illusions. Ils ont vu leurs rêves s'animer à l'intérieur des bulles-illusion et ont continué de reculer en comptant à l'envers. À un moment, le forgeron a failli saisir l'une des bulles, mais l'ami l'a aidé à compter et le forgeron s'est retrouvé au bout de ses rêves, sain et sauf. Il fallait maintenant pénétrer au cœur même de la forêt Gâtée, parmi les arbres-chatouilleurs et les fougères-serpentins. C'était le moment de se servir du petit flacon de verre.

L'ami s'avança vers le cœur de la forêt, tenant le flacon d'une main et serrant la plume du perroquet entre ses dents.

— Bonne chance! lui cria le forgeron qui devrait prendre le même chemin si l'ami n'était pas revenu au bout d'une heure. En attendant, il ferait les cent pas en espérant très fort, au fond de son cœur, que tout irait bien.

L'ami fit une dizaine de pas sans que rien ne vienne troubler l'atmosphère. Puis, il sentit que les fougères, tout à l'heure immobiles, avaient commencé à se tortiller sous ses pas. Tout en continuant de marcher d'un pas décidé, il ouvrit le flacon de verre. Tout à coup, une fougère s'entortilla autour de sa jambe gauche, l'immobilisant d'une forte secousse. Aussitôt, une branche d'arbre vint le chatouiller sous les bras pour tenter de lui faire ouvrir la bouche. L'ami gigotait et tentait d'étouffer l'envie de rire qui lui tordait l'estomac. Il serrait les dents bien fort pour ne pas laisser échapper la plume de perroquet qu'il tenait serrée dans sa bouche. Puis, une autre fougère s'enroula autour du poignet qui tenait le flacon de verre. L'ami se raidit, bandit ses muscles et fit un bon en avant, arrachant du coup les deux fougères-serpentins. Il respira le contenu du flacon par le nez et se sentit aussitôt libéré du chatouillement de l'arbre-chatouilleur. Le contenu du flacon l'avait rendu invisible.

— Non, allez-vous-en, pleurnichait la forêt, c'est mon anniversaire.

Sans dire un mot, l'ami poursuivit son chemin jusqu'à la grande aiguille du temps. C'était une sorte de grosse flèche qui flottait au-dessus du sol. Rien autour n'indiquait qu'il fut un certain jour de l'année ou un autre.

— N'y touchez pas, pleurnichait la forêt, c'est mon anniversaire à moi! Je veux un anniversaire tous les jours.

L'ami savait ce qu'il lui restait à faire et il le fit: il alla glisser la plume de perroquet dans le chas de la grande aiguille du temps.

Aussitôt, un grand cri se fit entendre. Puis ce fut des sanglots. C'était la forêt Gatée qui pleurait de colère et de dépit.

— Je veux mon anniversaire! disait-elle, sans arrêt, je veux mon anniversaire!

Et, cette fois-ci, l'ami lui répondit.

— Console-toi, dit-il, tu l'auras ton anniversaire lorsque le moment sera venu... Et nous te ferons une jolie fête qui durera une journée entière.

— Vous viendrez vous amuser avec moi? demanda la forêt d'une toute petite voix.

— C'est promis! lança l'ami, nous danserons avec tes arbres-clowns et tes fougères-serpentins.

— Et vous me prêterez vos oiseaux? demanda-t-elle encore.

— Bien sûr! répondit l'ami. À la condition que tu nous les rendes avant la tombée du jour. Ils mettent du bonheur dans le cœur des villageois.

Et l'ami s'en fut retrouver le forgeron, d'un pas tranquille.

Le lendemain matin, les oiseaux chantèrent à nouveau dans le ciel du pays dont on avait oublié le nom. Et l'on fêta l'anniversaire de la forêt Gatée à tous les cent ans.

... peux-tu me dire ?

Qu'a essayé de faire l'arbre-chatouilleur à l'ami ? Pourquoi ?
Qu'a fait l'ami avec la plume de perroquet ?
Qu'a promis l'ami à la forêt Gatée ?
À un intervalle de combien d'années est fêté l'anniversaire de la forêt Gatée ?